のだめカンタービレ

Nodame Cantabile

#12

二ノ宮知子

TOMOKO NINOMIYA

のだめラプソディの演奏者たち♡

飛行機恐怖症のため長い間留学できずにいたが、意を決してパリへ。ヴィエラを師として仰ぐが、シュトレーゼマンの弟子となった。指揮者修業のため、巨匠とともに世界周遊中。

楽譜が苦手で超自己流の演奏をする、天才ピアノ少女。桃ケ丘音大4年生で出場したコンクールで実力を買われ、千秋とともにパリへ。現在、コンセルヴァトワールに留学中。

コンセルヴァトワールでのだめにピアノを指導。日本で開催されたコンクールでのだめの才能に着目し、パリ留学を勧めた。

またの名をミルヒ・ホルスタイン。世界的なドイツ人指揮者で、千秋の師匠でもある。合コンとキャバクラが大好きなエロジジイ。

ターニャ

のだめや千秋と同じアパルトマンに住み、コンセルヴァトワールのピアノ科に通う留学生。化粧が濃く、男好きなロシアギャル。

フランク・ラントワーヌ

のだめや千秋と同じアパルトマンに住み、コンセルヴァトワールのピアノ科に通うフランス人。アニメオタクで、プリごろ太好き。

李 雲龍（リ・ユンロン）

のだめや千秋と同じアパルトマンに住む中国人ピアノ留学生。家族思いでホームシックにかかりがち。お金には異常に細かい。

リュカ

のだめと同じ学校に通う天才少年。子供なのに、ピアノの演奏も音楽論も大人顔負け？のだめと授業が一緒になることが多い。

黒木泰則（くろき やすのり）

千秋が指揮者を務めたアマオケ・R☆Sオケのオーボエ奏者で、のだめに片思いをしていた。ヨーロッパに留学しているらしい。

ロラン

千秋がコンクールで指揮をしたオーケストラのヴィオラ奏者。音楽について千秋と語り合いたいと思っているウンチク君。

Nodame Cantabile

Contents

TOMOKO NINOMIYA

フィンランドにて——
千秋パリ・デビュー曲はシベリウスやりなサイヨ
デビュー曲決まる
Lesson 65

シャルル・ド・ゴール空港
ブオン
Monsieur, vous allez bien?
(ムッシュ、大丈夫?)
Vous êtes très pâle.
(顔がまっ青だよ)
はじめてひとりで飛行機に乗った……
たった3時間だけど
Ça va, merci.
(大丈夫だから)
Vous pouvez vous dépêcher?
(急いで)

4ヵ月ぶりのパリ
今日からパリ・デビュー公演のためのリハーサルが始まる
指揮者コンクールの優勝者に与えられる2回の公演の権利
オーケストラは
あのコンクールで演奏したウィルトール交響楽団
チアキ!
コンマスさん

久しぶり！よろしくね
よろしくおねがいします
おー
きたきた一黒王子ー
チアキ！元気だった!?
久しぶりー
シュトレーゼマンの代役でデビューしちゃったたって本当ー!?
おねーさんビックリー
↑ファゴット（ルシー） ↑フルート（セリーヌ）
チアキ
ボクのこと覚えてる？
あ——……ヴィオラのフ…（フワフワ）
ひぃ…
なにを…
オレをずっと心配そうに見ていた奴

その節は…
ありがとう
頑張って
くれて
やっぱり
いい奴だ
チアキ！
ボク君と
話したいことが
たくさん……
え…
今回の曲の
こととかー
ロラン！
リハー
オレは
覚えて
いるかな
小僧！
そりゃ
もう…

この4ヵ月で得たものを
またこのオーケストラで ——
ホルン！もっと小さく！
その頃
コンセルヴァトワール

初見？
↑
（のだめの声）

ピッ
ピー

はぁ…
M. Shinichi Chiaki
88 ruedu Bo
75006 Paris
FRANCE
真兄へ♥ デビューコンサートには
みんなで行くから がんばってネ
会いたいです。LOVE!
由衣子
やっと
帰ってきた
すぐに
次の曲の勉強
しないとな
疲れたけど…
いや
カチャ
そのまえに
掃除か

あいつ
まだ学校かな
ガチャ…

え!?
電話した時は
たしかに
ここにいたのに

ていうか俺
なんでこんなに動揺してるんだ!?
あいつがこの部屋にいて
あのピアノを弾いていれば大丈夫だと……
大丈夫ってなにが!?

今まで
文明
このへんで踏みとどまっていたはずなのに!?
変態の森
Welcome!!
ングース注意
多忙にて思考停止中(一回休み)
うっかりカギを渡す
うっかり手をつなぐ
多忙にて思考停止中(一回休み)
居住先を同じにする
福岡へ行く
一緒に留学しようとされそう
千秋の心中図<対のだめ>
Les alternatives de tonique et de subdominante
ギッ…
ギッ…
Cette sixte augmentée fait un effet dramatique

ガチャン…
のだめ……?
あ……
ホタル舞う

おかえりなさい先輩
またアレになっている——!?
デビューおめでとうございました
お務めご苦労さまデス

のだめ今日はお腹いっぱいなんで
ぺこり
これで失礼しマス

ちょっと待て——!!
ガッ
どうしたおまえ……
腹いっぱいって……

学校でなにかあったのか!?
つーかやった!?
べつに……
なんも……

なんにもできなかったんデス
初見も
アナリーゼも
勉強したのに
みんなのだめより若いのにすごく立派なインテリジェンスで音楽詳しくて
ず…
のだめはなにひとつさっぱりついていけてないんデス……
のだめは……子供にも笑われて

のだめは井の中の蛙で
世界はすごく広かったんデス
それだけです

……
おまえに
インテリジェンスが
ないのは 今に始まった
ことじゃないだろ!?
それでも
受かったん
だから
なんかの
間違いだったん
ですヨ
初見も
ボロボロ
だったし
おまえを
誘ってくれた
ピアノの
先生は!?
もう
レッスン
受けたんだろ!?
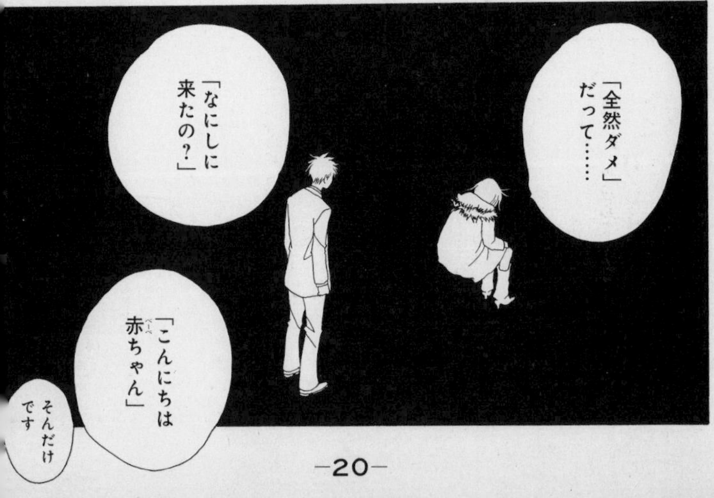
「全然ダメ」
だって……
「なにしに
来たの?」
「こんにちは
赤ちゃん」
そんだけ
です

そんな
バカな……!!
おまえ また
なんとか体操とか
やったんじゃ
ないのか!?
精一杯
ピアノ弾いた
デスよ!!
でも
ダメだって
言われたん
です!
もう
22歳なのに
赤ちゃん
だって!
……
おまえ
なに弾いたんだ?
ちょっと
弾いて
みろ!
むぎゃ

先生の前で
弾いた
とおりに！

ドドドーーッ!!
超絶……!?
しかもなんで
そんなピアノを……!?
ガツ
ガツ

Rui
Kreisleriana
Rui plays Liszt
ÉTUDES D'EXÉCUTION TRANSCENDANTE
バカな奴……

焦る必要なんかないのに
もういい
のだめ
もういいから
やめろって!!
なっ……

ぼへぇーっ
ドーン
なにやってんですか!!
のだめの演奏は
聴けないって言うんですか?

そ……
ぼへ？
そうじゃなくて……
オレは
おまえのピアノが好きだから
だから焦らなくても
千秋先輩ひとりが好きだって仕方ないんですよ！
もおっ
的はずれなことばっかり!!
同情するなら金をくれっていうんデスよ!!
いいからもう出てってくだサイ!!
のだめのことは放っておいていいデスから

バ
ン
千秋…
おかえり…
お疲れー
的はずれ？
"だからー
そのへんを
はっきり
分けろと
言ってるの"

死……
のだめ大丈夫かな──
PIZZA SANTA LUCIA
LE MONTAGNARD
SANTA LUCIA
Restaurant
随分自信なくしちゃって……
そんなに焦ることないのに
バカね〜
まだ学校始まったばかりなんだから
ちょっとまえの僕と同じネ
フン
僕もほんの少しだけ焦り気味だったケド
すぐに治るヨ
自分を信じる──それダケ
←ユンロン的解決法
ほんの少しだ〜〜!?
ぼ……僕とのだめはそれだけ目標が高いんだ!!
君たちとちがって!
泣きわめいてたくせに!!
自分が低いんじゃないのオー!?
ギャー
アイヤー
ターニャ!ユンロン!
コラ!かまでやくぞー

「眠りの森の美女のパヴァーヌ」
眠れる美女が夢の中でパヴァーヌを踊っている
そのまどろむようなゆったりとした情景が
イ短調の自然短音階をもとにオケも室内楽的に繊細に扱われている
むん…
俺だって

楽譜を前にした時
でもひとつひとつ
いつも高い壁を感じている
こうして自分で乗り越えていくしかないから
自分で
アナリゼ!!
ラヴェル……「*マ・メール・ロア」

＊マ・メール・ロア＝ラヴェル作曲。ピアノ曲とバレエ組曲として管弦楽に編曲したものがある。

第4曲〈美女と野獣の対話〉

美女と野獣
ふたつの主題の対比をどうするか

同時に別のものを表現しながら
バランスを取る
野獣か……
キャラの違い

難しいよな
ふたりの舞踏会…

のだめ
今日は
オクレール先生の
レッスンの日
だよね
ね！
レッスンを
見学しても
いいかな⁉
僕も
オクレール先生の
レッスン見て
みたいんだ！
今日は
ダメです
えっ
なんで
⁉
担当外の
生徒じゃ
だめ⁉
今日は
リベンジ

恵をよろしくネ♥
千秋くんへ♡
デビューコンサートで着て下さい♡
野田洋子
佐賀
のり
産地
さく
Lesson 66

フン
フン
ギッ
ガ
ラ
ラ
ラ

ガラガラガラ
ドカーン
ガララ
ひー
あちゃー
ああ……
お姉ちゃん……大丈夫!?
な……
なにをやって……
手はへいき!?
え
指怪我ない!?

だ……
大丈夫ですヨ
ホラ
はー
よかった
ごめんネ
あ
血……
ん？
あー本当だ
ぎゃぼ…
ぺた
これで平気だネ！
本当かよ…
ん……メルシー
あ
レッスン行かないと！

そだ！
道徳の時间
ボク……
今度おねーさんの演奏を聴いても笑っちゃダメだからネ！
マングースにたべられちゃうヨ
ぷっ
だってー お姉さんの口
おもしろいんだも～ん♡
タコー
アハハ
マングースってなーにー
マスター・ヨーダ

今日はまた
好きな曲を弾いてもいいデスか？
ヨーダ？
いいヨー
曲はなあに？
べーべちゃん
野田恵作曲の
La suite mojamoja
Megumi Noda
「もじゃもじゃ組曲」デス！

ノダ・メグミ……
へえ――!
君が作った曲なの⁉
MOJA MOJA
そうデスよ
La suite mojamoja
とっても素敵な曲だから先生弾いてみてくだサイ♡
?
ボクが……弾くの？
はい
初見で
オクレル先生はのだめの演奏を知ってますケド
のだめは先生の演奏を知らないので
一度聴いてみたいんデス
フォースを見せて下さい
La suite mojamoja
ジェダイの復讐↑（まだ方向見失っている）
のだめは先生の弟子なんですよネ⁉
ふーん……
楽しそうな曲だね～
はじめは小鳥が鳴くように……
え…
次第に活発に軽やかに
にぎやかになってゆく

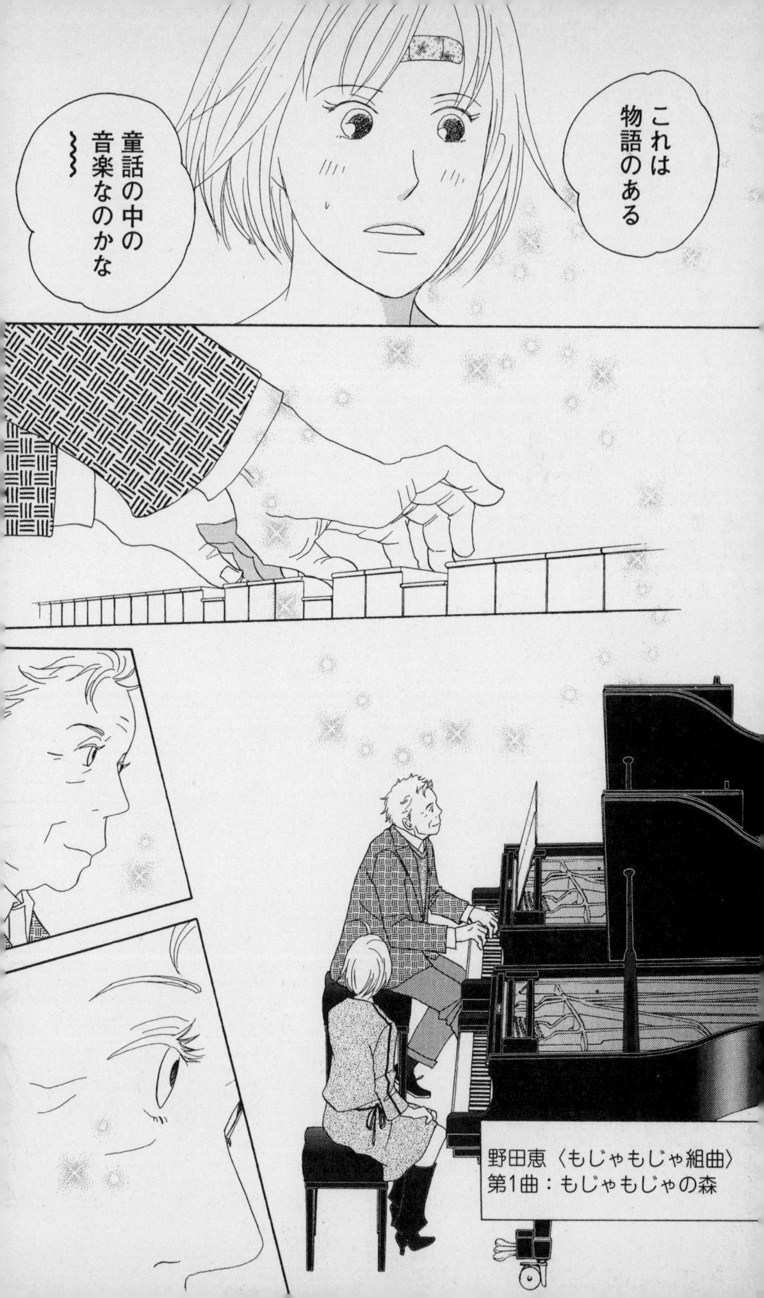
これは物語のある
童話の中の音楽なのかな〜〜
野田恵〈もじゃもじゃ組曲〉
第1曲：もじゃもじゃの森

あっ
まちがえた！
いいんだもん…
君の曲はちょっと予測しづらいから〜〜
予測…
でもこういう音楽でしょ？
おっと…
〝不安〟が出てきた
この曲は——
空が陰って
誰かがあわてて騒ぎ出す

嫌われ者のもじゃ木です
くさいんです
虫もよりつかない彼は
ただ立ってるだけの人生に辟易としていたので
嵐が来るのが嬉しいんデス
だからここは大袈裟に！
fで
楽しそうに森に不安を撒き散らす
そんなこと書いてないじゃない
書き忘れデス！
いいから感じてくだサイ!!
……君がそうやって言いたいこといっぱいあるみたいに
他の作曲家だって言いたいこといっぱいあるのにネー

え…
君はその声を本能的に感覚的にしかとらえない

ベーベちゃん

でも……あのシューベルトのソナタはよかったヨ
コンクールで弾いた…

も一回あれ弾いてヨ

……はい

今日の
初見の
授業
なに
やったー？

ベートーヴェンの交響曲を連弾用にアレンジしたやつ
へーーそんなのあるんだ!?
いーなー
うん
先生と連弾してさ
すっごい楽しかったよ
METRO
MUSIQUE
MUSIQUE
MUSIQUE

電気止まる!?
ぎゃぼっ!
onal de musique de Platini
SHINICHI CHIAKI
WILTORD ORCHESTRE
P 25
おうー

ガチャ…

バタン

「美女と野獣の対話」
「わたしはお前が怖くないけよ」
「見掛けによらず優しい心を持っているから」

「そうです！
わたしは
親切者です」
RAVEL 〈MA MÈRE L'OYE〉
ラヴェル マ・メール・ロア

「でも
わたしは
化け物
なんです」

音が響きたい長さを
武満徹〈遠い呼び声の彼方へ!〉
旋律が流れたい先を

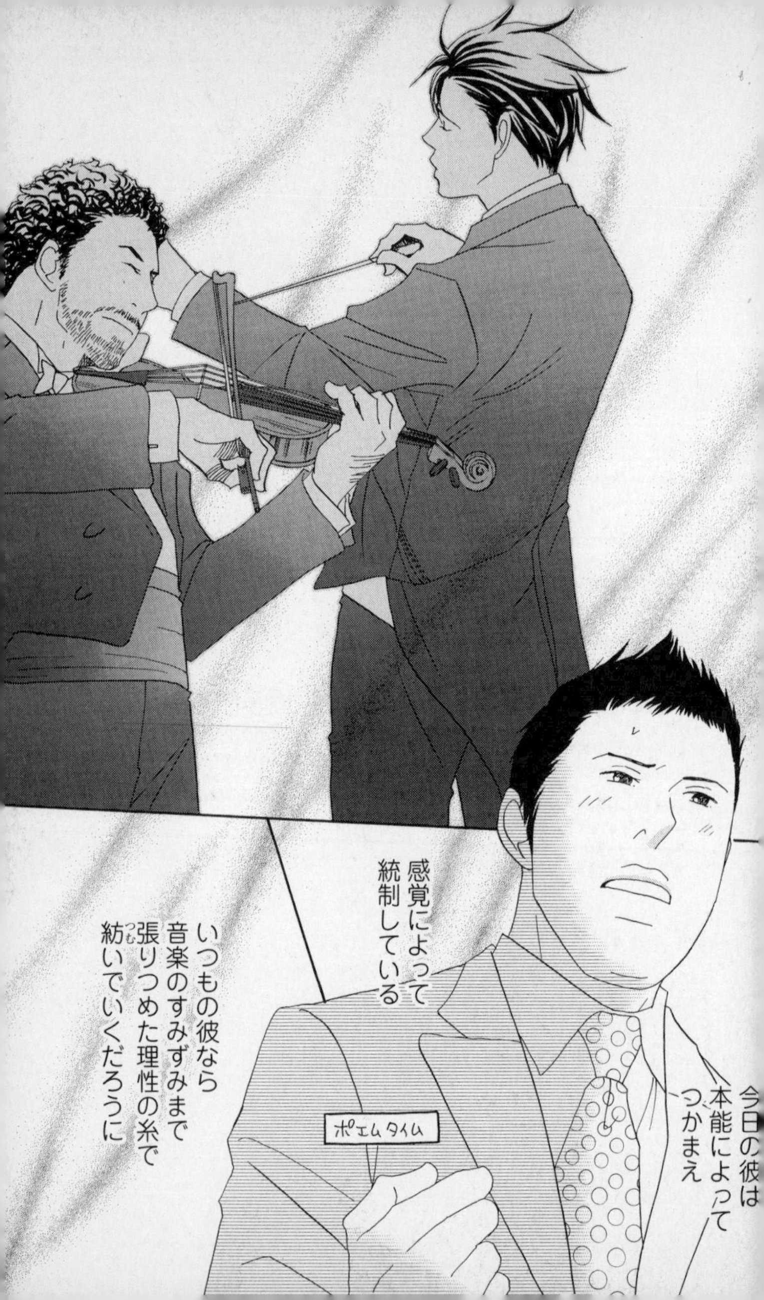
今日の彼は本能によってつかまえ
感覚によって統制している
いつもの彼なら音楽のすみずみまで張りつめた理性の糸で紡いでいくだろうに
ポエムタイム

いつもの彼とは違う
ワー
パチパチパチパチ
パチパチパチパチ
これは嬉しい驚きだ
真兄かっこいい～♡
まだまだだ真一は……
ガク
ガク
問題は評価だ!
ここにいるパリの皆さんに評価されなければ
真一は…おわる!!
↑大げさです
大丈夫じゃなーい?
ホラ
選曲もさ

ラヴェルでフランスのみなさんコンニチハー
武満で私は日本人ですーって丁寧な挨拶
好感度いいよー
俊兄それ単純〜〜
ホホホ
そうじゃないの〜？
↑千春おばさん
じゃあ次のシベリウスはなんなのォ？
フィンランドの人じゃなーい
んーー
なんだろ
もう冬だから？
ねえ征子ママ……
のだめちゃん
来てるかしらね？
シベリウス：交響曲第2番

ブラボー
ワアアア
ブラボー!!
詩→
!!
ワ
デビューおめでとう!
おめでとう!!
おめー

おめでとう！
パチパチパチ
おめでとうございます
え……
パチ
あの……
サインください♡
パチパチ
フーン
一番でス
パチパチ
おまえ……早すぎ!!
ステージ出てくださーい

ワァア
パチパチ
あいさつ
あいたー
タオル持って来ちゃったよ
真兄
ギャーイヤー
カッコわるーい
パチパチ
す
すみません
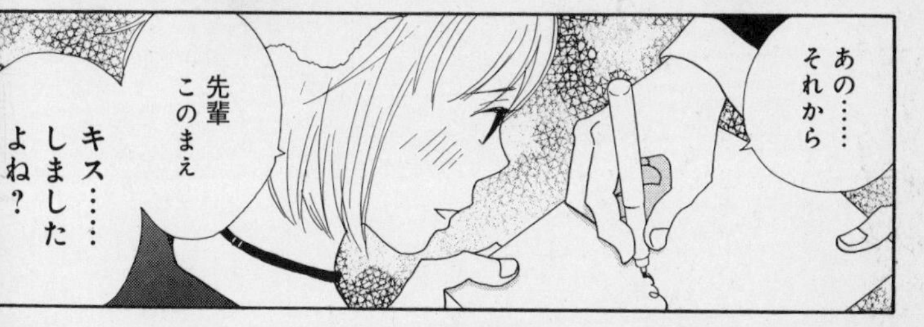
あの……それから
先輩このまえ
キス……しましたよね？

よく記憶に残ってないんで
もう一回お願いしマス♡

キュ
キュ
キュー

ステージ出てくださーい

パチ
パチ
パチ
パァァ
がんばれよー
チアキー
パリでふってねー
ブラボー!!
千秋真一
パリ・デビュー
くんくん…
先輩のにおい…♡
と同時に

変態の森へ
?
どうでした？ムッシュー
いいでしょう!? 彼！
Welcome
今日はなにかコンクールの時とは違う印象でしたけど

うん
ボクはとっても気に入ったよ
では話を進めても?

任せるよ

雪と星が塵となって舞い上がる世界で君は雄々しくその先に続く大地へ敢然として踏み出す彼方へと——
〈訳〉千秋くんデビューおめでとう!!
シベリウスの感想含む

真兄ちゃま〜〜〜♡
久しぶり
近所の人に色紙を頼まれちゃってー
よくやったな真一！

楽屋訪問
どうも

あっ
なにあれ？
のだめちゃん!?
死!?
笑ってるよ
気持ちわりー
あ さくまさーん
なにか変なものでも

千秋のデビューコンサート翌日の
in Japan
裏軒
千秋真一デビュー丼！
ブロマイド付き!!
マエ酢トロ丼
ようするにネギトロ
桃ヶ丘の生徒なら2％OFFだー!!
千秋先輩丼ひとつー!!
おっと押さない押さない
デビュー丼ひとつー!!
わたしもデビュー丼！
その頃パリでは──
デビューおめでとう
ふぉーースゴーイR☆Sのみんなからファックス…
一字一字送るなー!!
！
祝 千秋真一くんデビュー記念フェア開催中!! R☆Sオケの出身の一番星☆
中華裏軒
らっしゃいらっしゃい
裏軒

Lesson 67

千秋くんへ♡
デビューコンサートで着て下さい♡
野田洋子
恵を
よろしくネ♥

週末――
今日の午前中の演奏者は
きっとあの子だ――
コツ

あ
あ――
はい
Bonjour
あ……

ありがとう
あ
いえ
また新しい学生か!?
日本人……
ガチャ
そこは
おかえりなサーイ♡♡
ゴバー!
ムキャー!
ドタバタ
あ、あ、あの子の部屋じゃ……
た…
ただいま
バーン
タ

……
男ができたか――
あの人
そういえば昔も絵を描いてる人が屋根裏に住んでたな……
ここ……学生だけじゃないんだ
油絵具
SILVER WHITE
画家かな？
それにしても

ベートーヴェン
ピアノ・ソナタ
〈悲愴〉——
はじめて
会った時
こいつが弾いて
いた曲……

あいかわらず
〝悲惨〟!!
デタラメ
わははっ
きたきた〜〜〜
ガッ
コーン
よしっ
ポーイ
ガコー
あれ……?

おおっ
プッ…
だから
なんで
そこを適当に
弾くんだ!!

このドレミがいちばん大事なんだぞ！
第2主題も終楽章のロンド主題もみんなここから来るんだから！
ふおお…
そっかー
まえから聞きたかったんだけど……
おまえどういう解釈してこの曲弾いてンだ？
あの……
イメージなんですけど

実家が新築した時2階に玄関ができて
引っ越し中何度も階段を上り下りしなきゃいけなくて
悲しい顔をしているおじいちゃんとおばあちゃんなんデス

階段の下りは
上りより楽なんで
長調のところは
気持ちいいんデス
でも 結局
疲れ果てて
この第1楽章の
最後はまた短調で
嫌になって
終わるんデス
だから
最初と
最後の和音は
おばあちゃんの
嘆きの訴え
なんデスよ
野田
妙に
説得力が――

しかし……
先輩
顔色悪い
デスよ？
そだっ
気分転換に
デートにでも
行きませんか♡
ムキャ！
デート
デート♡
悪い虫が
つくとは
このことだ
ラブー♡
このあいだまで
火山のごとく
猛々しく
爆発していた
彼女の音楽が
小さくなって
しぼんでゆく
……
ピロロロ…

やあ
カツイロ！
まさかまた
変な絵を
描いて
遊んでない
よね？
個展用の
絵は
進んでいる
かい!?
頼むよ～
もう時間
ないんだから
できたら
来週は
仕事も休んで
絵に集中する
とか
せっかく
はじめての個展
なんだし
うるさいっ
ヒッ
バゴ
わあ
あ
ゴロ
ゴロ
ゴロ
あぁぁ
やだぁぁ

オルセー美術館
ふおお……
しゅごい
ムホォォ…

奇声はやめろ…
芸術は音楽のみにあらず
ヴィーナス誕生…
あ先輩!
この彫刻桜ちゃん家にあったやつ!?
違うだろ!!
おまえはもう少し芸術的な想像力を養ったほうがいいぞ
ふおーっこの人!
この人知ってマス!
ミケランジェロのダビデ像……
これはレプリカだな
千秋先輩もいつか有名になってこんな彫刻にしてもらえたら最高ですネ
ハア♡
ふざけんな!!

なんで指揮者が裸像に……
最低だ!!
指揮棒は持ってるんデス♡
変な妄想ばっかすんなー!!
新古典のアングル
ロマン主義のドラクロア
写実のミレーときて……
マネ
モネ
ゴッホ
ゴーギャン
オルセー
ここは主にこの印象派から後期印象派までの絵画が中心の美術館なんだ
〝ロマン〟とか〝印象派〟って
本当に音楽と一緒デスね

光や外気によって変化する物の色の移ろいを表現するのが印象派だとすると
和声という色彩の万華鏡を表現しようとする音楽——
時代も思想もいろいろとリンクしてるんだ
ドビュッシーの曲の書法には印象派の画家が中間色を出すために原色を並べたのと同じような発想を感じられるし
赤・青・黄の色三原素が音楽でいうと
はぁ……なるほど……
はあ…
絵画にもアナリーゼがあるんですネ……
逃げんなよ!
コラ
そーじゃなくてぇー
だったら〝初見〟もさせてくだサイ
ちょっと
放っておいて

わぁ
すごい点描！
近くで見るとわけわかんない点々だけど……
肌に青点…
遠くから見るとちゃんと人間だね〜〜
へ〜
「スーラ」
!?
この人早死にしちゃったんだってー
ああ〜
こんなに点描打つからー
オルセー

先輩
先輩！
焼き栗♡
焼き栗食べましょー！
なつかしーなコレ……
子供のころよく食べた
最近ののだめのお気に入りデス♡
パキ
おいしー♡

ユンロンと割り勘で買って栗が奇数だったりするとすごい戦いになるんですヨ
アハハ

〃ユンロン〃って……誰？

中国人留学生
ふーん…

先輩ずっといなかったから――
でもすぐ会えますヨ
同じアパルトマンなんだし♡
べつに……会わなくていいけど

……
真一くん
またどっか行くんですか？

オランダのオーケストラに客演で呼ばれてる

ふおおーオランダ！
チューリップ～
でもそのあとまたパリのオケだから……
すぐ帰るけど

エリーゼのやつ……本当にきっちり仕事を取ってくるというか
オレの実力というか

のだめも
がんばらないと
……ですね
うん……
カッーン
そういえば
学校
どう？
あれから
あ……
順調ですヨ
先生は
とっても
いい先生だし
カッーン
最近は
のだめ
初見も
なかなか
やるんでス！
へぇ――
へ―
へ―！
こだま

アヘー

あの人
今朝の……
ガツ
ガツ
絵の
スケッチ
してンのか!?

つーか
なに描いてんだ?

世界遺産を背にして
ギャーン♡
先輩 今日のごはんはなんですか?

初見

まあ……
まえより
マシか？
いえ……
今日は なんか……
調子が悪い
デス

この曲が変
なんですヨ
難しさが
イヤラシイって
いうか
押しつけがましい
っていうか
上からものを
見てる感が……
だれの曲ですか？
コレ
オレだーー!!
ギャボーー

初見の
練習用に
さらっと書いて
やったんだよ！
変な曲で
悪かったな
!!

あの男……
もう
許せんーー

よく見ると
いい曲デスね♡
問題点を
あげつらうような
優しさに溢れ……
もういいから
だまって
弾け！
どーせ
そーゆー
曲だ！

ピンポーン

フランクか
ターニャか
Oui?
ガチャッ

彼女に……
余計なことを教えるな――!!
な……
なに…?
ムッシュー長田(おさだ)!?
なにやってるの!?

また若い子にちょっかい出して！
ちょっかいじゃない！
アンナ…
アドバイスだ!!
ボクはずっとこのアパルトマンで音楽家の卵たちが羽ばたくのも落ちてゆくのも見てきたんだ
だからわかることもある！
わたしだってずっとこのアパルトマンでちっとも羽ばたかないあなたを見てきたのよ！
いい加減にしなさい!!
いつまで画家の卵なの!?
40にもなって
人の心配より自分の心配しなさいよ
絵はちゃんと描いてるの!?

ボ…ボクは べつに
画家を 目指している わけじゃない……
なに 言ってるの
画商の ブランさんから 聞いたわよ
やっと 個展を やることに
よかった じゃない!
あなたの絵が やっと 日の目をみる 時が来たのよ
頑張ら なきゃ♡
大丈夫
売れる、、、 売れる!
余計なことを
言うなぁぁ ――!!

個展なんかやめた!!
もうやめた!!
ええっ
ボカァ趣味で絵を描いてるだけで満足なんだ!
売ろうなんて考えると
ボクの絵はだめになる!!
ボクの芸術は
ずっとボクだけのものでいいんだあ——!!
ち ち ち
ラ・ボヘーム〈完〉

先輩？
どうしたんですか？外……

なんか騒がしかったみたいですケド
いや……べつに……

のだめ……
このアパルトマンで絵を描いてる人……
知り合いか？

いえー
?
知らないデスけど……
なんなんだ!?一体…

「彼女に余計なことを教えるな!」

by ムッシュー長田

GAULOISES

Fumer nuit gravement à votre santé et à celle de votre entourage

余計なこと
って……

〝ちょっと放っておいてください〟

〝押しつけがましいっていうか上からものを見てるっていうか〟

わあああ
まだ叫んでる
いやだぁ
ピンポーン…

ここにのだめいるネ?
このあいだの焼き栗代2.5ユーロ
返してもらいに来たんだけど

うわさの浮気男ネ
ユンロン!!
え〜〜
焼き栗は4ユーロだったんだから半分で2ユーロ

君はボクより2コも多く食べたからネ
せ…せんぱい1ユーロかしてくださいっ
とりあえず千秋はユンロンに会えた

Lesson 68

ただいま──!!
コマンタレブー!
千秋のだめ!

ママの焼いたパイを持ってきたよ!
いつものー
わたしはショッピングに行ってきたぁ♡
もきゃー♡
やったぁー♡
のだめ!頼まれてたあったかいくつ下買ってきたわよぉ

お茶入れようよ
……
ハーイ♡
あ
日本の緑茶ある?ー♡

おおっなにコレ
おいしそー
カリー!?
それはのだめの作ったトンコツこてまろカレーです
ト、ト、ト、トンコツ?
豚の骨を煮込んだスープでのだめの九州の味なんデス
初挑戦!
それに豚バラを入れてこってりギラギラ仕上げたカレーなんでス♡
チーズが隠し味
へぇーー!
ボクも食べてもいい!?
わたしもー♡
やめとけ
死ぬぞ

やだぁ～ 先輩 大袈裟に ちょっと もたれた だけで
のだめはピンピンですヨー
ちょっとじゃ ねーだろ!!
吐いたぞ オレは
残念……
ドロ
ごちそう さまー……
たく……
なんで 当然のように うちに集まる んだよ おまえら
だって 広いしー
千秋の部屋は のだめの部屋 だろ?
オレの部屋は オレの部屋だ
おめでとー
はい カズオさん お茶…
あーっ そうだ! 千秋…
今日は 千秋にも お土産 あるんだ♡
ゴソ
指揮者 デビュー おめでとう Tシャツ!!

まあ…
こってり…
素敵でしょーー！色とか
チケットのお礼！
ていうか千秋すっごいカッコよかったたあ——♡
うす紫地にピンク……
これはなんの絵ですかね？
あー…
ピカソ!?
うそだーー！ピカソじゃないよ
みやげ物屋の…？
絶対違うよ！こんなのピカソに失礼だって
こんなの、こんなのってなによォ!!
だってーマレのピカソ美術館の近くの店で買ったのよ!?
ピカソでしょ！
ピカソじゃなかったら誰なのよ!?
先輩わかる？
ピカソでないことはたしかだろ…

わかった
ボク
ムッシュー
長田に
聞いてくる!
わたしも
行く!
ムッシュー
長田?
誰ですか?
それ……
日本人!?
この
アパルトマンの
住人で
絵を描いてる
おじさんよ
普段は通訳や
コーディネイターの
仕事をしてる
らしいけど
今日
いるかな?
ムッシュー
週末だし
きっと部屋で
絵を描いてる
わよ
絵…
のだめも
行きマス!!
え
のだめも
もっと絵
見タイー
いいけどー

ムッシューの絵は
壁の絵ばっかかよー
〝彼女に
余計なことを
教えるな！〟
くそっ…
あれは
どういう意味
なのか
ほわー
屋根裏…
わかるようで
わからない

ピカソ……
なわけねーだろ!!
あーっ
くだらない用事で来るなぁ──!!
ひっどーいムッシュー!!
千秋のTシャツ～
帰れ帰れ──!!
ここは子供の来るところじゃない!!
ほわぉ……

おもしろい絵ですネ
うず巻き～？
ゲフ
ぶっ
なにその絵～～～！
だっさーい！
油彩・カンヴァス 41×27cm
ムッシューが妄想画!?
ギャハハ
抽象画だ!!
なにコレ
へー
建物の絵はやめたの？
それは遊びで描いてる絵だ！

ちなみに
その絵の
タイトルは
「ターニャの
ピアノ」
だ

はあー!?
どーだー
君の演奏から
イメージした
絵だ

なんで
わたしの演奏が
やだぁ
むらさき
青むらさき
緑
赤むらさき
なんなの
このダサイ
色使いは!!

は……！
今日のターニャの服と同じ!?
同じじゃないわよオ
紫に緑なんて…
でもなんかお色気ありマスよ？
……まさか
ボクの絵なんてないよね？

あるよ

ふぉぉー
かわいい～

「ファイナル・ファンタジー」
水彩・パステル
33×45cm

ファイナル・ファンタジー!?
って……ゲーム？
そのまんまじゃない！
いんちきィーっ
どこがピアノよ
これはフランクよ
抽象画とは対象物の本質や心象を描くことだ
演奏には「本人」が出るんだよ
ゆかい
ボクのピアノが……ゲーム???
あの……
じゃあ
のだめの絵ってありますか？
ドキドキ
あ
はじめましてー

あるけど……
もう描けない
この男のせいでな
ビシィ
ホラ出てこいっ
先輩……?
なにそれー
千秋?
このあいだまで彼女は
燃えたぎる生をピアノで爆発させていたのに!

ただの男が
地上に彼女を
縛りつける為に
羽根を もいで
しまうんだ!
堕天使って——
このままでは
彼女は飛べない
堕天使に 成り
下がってしまう!
さくま?
あのー……
のだめの絵って
……
ガコ。。
もしかして
これですか?

「ミミズをください」
油彩・カンヴァス
54×64cm

羽根だ……
たしかに
エサを求めるヒナ鳥？
堕天使って…
じゃあまだ飛んでないじゃない

これから
飛ぶんだ!
親よりも
高く!
はるか南へ
どこへ
飛んだのか
それは
誰も
知らない
なにそれ
〜〜っ
ギャー
こわい
わけわかん
なーい!
それで
いいんだ……
ハア。。
なに
ひとりで
納得して
んのよー
もしかして
コレって……

このあいだまで
リストを
弾いていた
のだめ？

あーっ
そうだ！
リスト
あの
超絶エチュード
あったね！
そんなこと
爆発
するような
自由な魂！

……自由って……
のだめ あの時 どう弾いたら受けるかなーとか 売れるかなーとか 思ってて
わかりやすく世界一速くなろうとか

でも全然受けなかったデスよ？
自分の絵に不満らしい

カローン…
……
も〜〜っ
バカバカしい！
なによ
これ
わたしの
演奏は
もっとセンス
いいんだから！

聴くならちゃんと聴いてよね！
ボクだって
あんなに子供っぽいピアノじゃないよ！

音楽知らないんだからムッシューは
まったく失礼しちゃう！
なにが抽象だよ

シャッ…
ここか…
おおう…
わほ

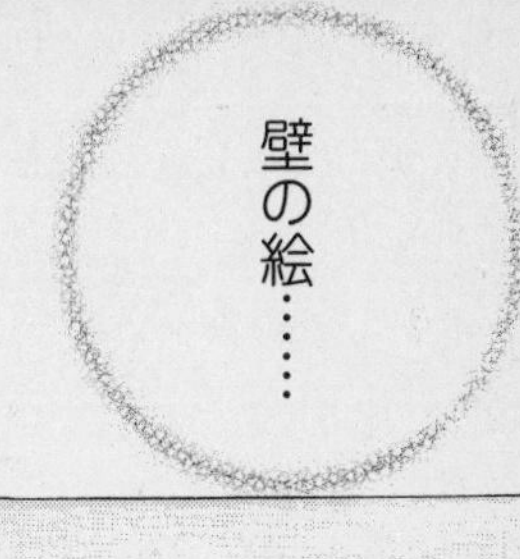
壁の絵……

わかんないな
………
飛ぶとか
飛べないとか

あなたは もう
自分の絵を
描いてるのに

だから
余計な口出し
しないでください
彼女と
あなたの問題は
別ですから
ホラ
いくぞ
のだめ！
ピー

受け狙いだった彼女の演奏に受けてたわけだ……
お茶会
ボクも大衆的だな！
？
バカねー
いいじゃないのー
ベートーヴェンやショパンだって
そうやってサロンの貴族たちにアピールしつつ売ってたのよ
ゴッホは生きているあいだ1枚しか絵が売れなかった
……
そ！
そうなの!?
……怖かったんだ
単に…
売れなかったら
評価されなかったらどうしようって……

ボクの絵は本当に趣味で独学だったし
16年前!
大丈夫よ
芸術は人の目や耳に触れて
また育っていくんだから
紫に緑じゃなくて
ピンクでしょう!!
ファイナル・ファンタジーじゃなくて
ファンタジー!!

ト――ン
点描……
先輩の言ってた3つの原色は
ドビュッシーの3度の和音?

さあな
プイ
自分で見つければ？
ムキャー
ケチー
千秋ざま――!?
うるさい
もー帰れよ
きっとこいつは変わらない
うう――…
カズオ…
いつか先輩を上から見下ろしてみせますから……

だから
それまで
いい踏み台に
なってくだサイ
ふざけんな!
踏み潰すぞ
先輩〜
じゃあ また
美術館
行きまショー
ピー
今度は
ちゃんと話
聞きます
からー♡
ピー
ピー
ミミズ
くださいー
でも
そうだな
踏み台って
わけじゃなく

そろそろやっておかないと…
練習(俊彦命)
モツアルト
こうして過ごす時間が
またお互いの音楽の一部になっていくなら
ヴァイオリン!?

どうだ〜〜!?
これが真一のヴァイオリンだ
ひりり
うそだー…
スケッチブック
水彩
まんが風
手ぬき少々
タイトルは
「発情期」
な……なんでクジャク!?

ビリ
ビリビー
ビリ
ビリー

なにをするー!?
いい加減にしてくれーーッ!!
千秋の修業もまだまだ続く——
休日終わり。。

Lesson 69

拝啓
お父さん
お母さん

METRO
パリは
今日も
曇りです

Monsieur
Kuroki!?

さっき
電話した
ヴァイオリンの
ショヴァニだけど
ボクと
室内楽
やってくれる？
30分の
遅刻——
悪いけど
僕は
君とは
組めない
12月
留学してから
半年が経つのに

僕は まだ
フランスに
馴染めません――
キャハハ
やだぁー
ターニャってば
スケベー♡
パ
パルドン
(失礼)
メルシー……
↑女は苦手
C'est glauque!
(暗ーい)
glauque……「青緑色」?
〈直訳〉
僕は
青緑……!?
なんで?
毎日が
ストレスの
連続だ
室内楽
メンバー
募集中

千秋君に会いたい
忙しいだろうと思って遠慮していたけど
同じパリにいるんだし
そろそろ連絡をとって
ガラガラガラガラゴロゴロ
ガラガララ
ポーッ♬
はーい
次は終点デース！

のだめ！
レッスン終わったら遊ぼうネ！
ママがくるまで
じゃあまたカフェでねリュカ！
お勉強会をいたしましょーー！
じゃあ あとでネ！
恵ちゃん!?
僕は疲れて幻を……!?
やっぱり恵ちゃん
いや あれは

プツ
〝レ〟ですネ
センセ
うれしい
それじゃあ今日はバッハの平均律＊をやろうか
えっ
試験は6月なんだしもっとゆっくりやっても……
試験の曲☆
・ショパン エチュード
・リスト エチュード
・好きな エチュード
・バッハ 平均律
もう違う曲をやるんですか!?
ショパンはまだ1回しかやってないデスよ?

＊平均律＝近似的な音程を平均して実用しやすくした音律。

ワインと同じでネ
一度寝かせておくのもいいんだヨ
ワイン…
暗譜はしてある？
してありマス
バッハ*〈平均律クラヴィーア曲集〉第2巻
第14番嬰ヘ短調
BWV883
「長調」「短調」のすべての調性を用いて作られた前奏曲（プレリュード）とフーガ全24曲からなる作品集
*J.S.バッハ＝18世紀前半に活躍したドイツの作曲家。宮廷・教会で音楽家として高い地位につき、多彩なジャンルで傑作を残した。

バッハは
この作品によって
和声理論
厳密な
対位法規則を
適用し
平均律による
鍵盤楽器の
表現の可能性を
追究した――
C DUR
F DUR
D MOLL
G MOLL
B DUR
C MOLL
ES DUR
F MOLL
B MOLL
DIS MOLL
GIS MOLL
〈おわり〉

どうですか?

このフレーズ君にとってなんなのかな?

フーガの構造を理解しろ!!
耕造
でも――時間がないからとりあえず正確に弾け……な
やっぱり……

コンクールの時のレッスン

フーガの構造とか……勉強したほうがいいんですかね？
そりゃそうだよ
ボクは対位法だって勉強してるヨ
先生！
のだめはバッハが苦手なの？
苦手っていうか……平均律は
作りがガッシリというかキッチリというか……
正しすぎて入り込めないような……
ボクは2巻の5番をやってるんだ

前奏曲(プレリュード)なんて天使のラッパがぷっぷーって鳴ってるみたいでさ
とっても明るくって楽しい曲だよ
天使……!?
のだめは2巻の14番!?
ボクの好きな曲だ
バスから出てくる第2ドゥックスが堂々としてて……うちのおじいちゃんを思い出すよ
ボクのおじいちゃんは教会でオルガンを弾いてて
よく聖歌隊に怒ってる
音楽のことになると大人気(おとなげ)なくて
バッハみたいなんだ

バッハ……そゆ人なんだ!?
バッハは吹き方が気に入らないって言って
バスーン奏者と決闘したこともあるんだよね
ぷぷ
ほわぁ…
のだめも……
そゆ人よく知ってマス
いいなぁ
教会でオルガン
のだめも聴きたいな
のだめ聴いたことないの?
え
教会をのぞいたことはあるけど……音楽は鳴ってなかったデスヨ
それじゃあ日曜日!
今度の日曜日
ボクと一緒にミサに行こうよ!!

ユビキリ？
恵ちゃん子供に慕われて……
まるで小学校の先生みたいだ
クス
はい じゃあ今日の授業はおしまい～
↑先生
声をかけたいな
でもこれからレッスンがあるし……
ていうかもう30分過ぎているのに
先生そこにいるし――
あ……
め……

恵ちゃーん！
ボクは
たぶん
黒木くん!?
ただ
叫びたかった
だけなんだ
やっぱり
間に合わな
かったか

ガチャン
まあ いいや
電話すれば
しかし あいつ……
オレ今日 出るって 言ったのに
かわいくねー
あ〜〜〜っ 先輩!?
やだー
もう 行っちゃうん ですかー!?

じゅうてーーん
モキャー
ったく…
おせーよ
おまえ
おまえの
洗濯物
まだ
乾燥機に
入ってるから
あとで
ちゃんと……

く……
はぐ
はぐ
黒木君?
久しぶり
ぷっ
みんなが喜ぶネタができた

なんでパリに!?
ドイツに留学中じゃなかったの!?
(勝手なイメージ)
恵ちゃんと同じコンセルヴァトワールにいるんだ

ボクもできたらドイツあたりがよかったんだけど
どうしても教わりたい先生がいたから
やっぱり似合わないかなー
……言ってくれれば

君のデビュー公演は観に行ったんだよ
千秋君すごく立派で
感動した
…ありがとう
すげー嬉しい
あ いけね
もう時間だ
ごめん黒木君 オレこれからオランダに行かなきゃで
いいね仕事!?
まぁなんとか
先輩!
ノーン
それじゃあまた今度!!
まだお別れのキッスが♡
改めて会おう!
連絡する
逃亡

「洗濯物」か……

千秋くん
恵ちゃんのこと
「変態」だとか
「無神経」だとか

「図々しい」「奇声を出す」なんて
言っておいて——

半同棲!?
ちょっと失礼
え——……
っていうか
ガチャ

のだめの部屋
今住みにくくてー
ぼへー

やっぱりおこたを輸入したのが悪かったんですかねー
おこたがあるとなーんか散らかっちゃってー

これは聞いてない
あーー
あったあった！
鍵♡
ぎゃぼーーー!!
これは見ちゃダメー!!
ぬ盗み撮りしてたとか
先輩に言っちゃダメですよ!!
ぜったいヒミツですよ!!
おフロ場のぞいたとか
盗撮は犯罪なんですから！
←千秋服一式？

恵ちゃん——
スズラン散る
同じ学校なのになんで今まで会わなかったんでしょうねー
ピアノでは日本の人いっぱいいいるのは知ってたけど
のだめなんか日本人の友だちいなくてー
僕も……出身校も違うし寮にも入ってないから
あまり友だちできなくて
フランス語もまだまだだし

今日は久しぶりに日本語で話せて嬉しいよ
さっきはビックリしたけど
うんうん
今日は先輩の作った"正しいカレー"っていうのがあるから
夕食も食べていってくださいネー
嬉しいなぁ
いいの!?
カレーかー
もちろんデス!
あ
でも
ちょっとだけピアノの練習してもいいですか?
たくさんやらなきゃいけない曲があって……
アハハ
もちろんいいよ!
っていうか
是非聴きたいな
恵ちゃんのピアノ

今まで聴いたことなかったけど
コンセルヴァトワールに留学するくらいなんだから……
バッハは……
い、いやな感じ
正しすぎてイヤな感じだったけど……
正しいカレー……
ふふ

そんなの
ないのに
――
ああ……

音が

変な
考えかも
しれないけど
千秋君が
彼女といる
理由がわかる
気がする

ちょっと
変だろう
なんだろうと
……
ぎゃぼし♡

現在の黒木ヴィジョン
(なぜかキャミソール)

いや
僕はもう
そういうん
じゃなくて

僕も負けていられないよな――
バッハは心が洗われる

ドン
ドンドン
ドンドン

うるさい!!
何度言ったらわかるのよ
7時以降は吹かないでって言ってるでしょう!?

でも……このまえは9時まではいいって……
笑顔でがんばってネって…

、、、今日はいいって言ったのよ!!
いつもいいとは言ってないのよ!!
↑機嫌の悪い日

せっかく心が洗われたのに
一瞬にして「青緑」――
やっぱり寮に入ろうかな…

Lesson 70

セントラル
ヒーティングが
ひんやり…
壊れたらしい
あらまぁ……
それじゃあ
あとで見に
行くからー
い、い、すぐに
来てください
……

すぐに来られないなら
来られないって言えばいいじゃないか——
まえにも「すぐ来る」って言った電気屋さんが
1週間来なかった
そんな商売
日本じゃ考えられないことだ!
黒木泰則「青緑日記」より
*対位法〜!?
*対位法=複数の旋律が互いによく調和して重ね合わさるような技術を研究する学問。西洋音楽の理論の本質的な部分の大部分は、この対位法と深い関わりがあり、数ある音楽理論の中でも最も基本的なもののひとつになっている。

Contrepoint
げ～～っ
なにそれ～～～
のだめそんなの借りてどうすんの!?
フフフ
なにって……もちろん勉強するん
ペラ…
フーガの極意を
Contrepoint
<338-1>
Attention! C'est un livre trop compliqué pour comprendre.
<338-2>
なにコレ……
数学
？
そ……そんなことまで勉強しなくたって
フーガくらい弾いてりゃわかるわよ！
Contrepoint

アナリーゼだってできるし
そ……
そうですよねぇ!?
コロッ

そーよそーよ
ちゃんと弾ければいいのよ
ですよねぇ!?

ふおお〜〜
かわいい楽譜カバー!!

ママがいつも作ってくれるんだ♡
楽譜がボロボロにならないようにって
ふほっー
すごーい開きやすいように厚紙が入ってる

やさしいママなんですネー
いいなーコレー
わ
こっちの本にまで!

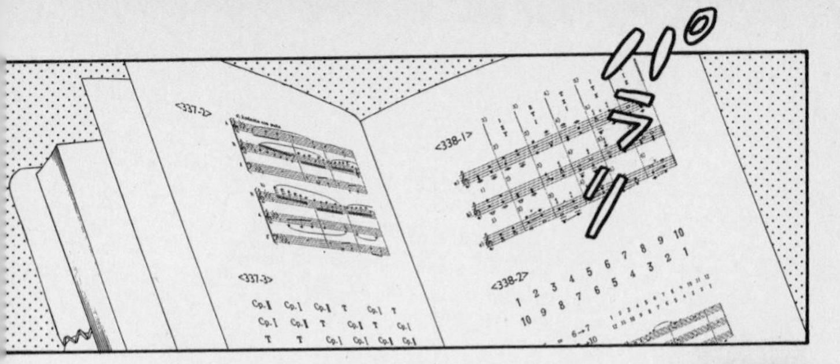

こ……
この本
リュカの？
対位法!!
そうだけど
なんで？
なんで
って……

こんなの
本当に
勉強してるん
ですか!?
うたがい
……
してるヨ！
だってボク
演奏だけじゃなく
作曲だって
できるように
なりたいし
*カデンツァ
だって
自分で
作りたいし

*カデンツァ＝協奏曲の中に挿入される演奏者の即興的な部分。

そのためにはこれくらいの勉強はしておかないとネ
ふ……
ふーんまぁ
そうですよねぇ
のだめも曲を作るからわかりマス
コロッ
おまえはなーんもわかってない!!
でたらめや
もじゃもじゃ制作時
でも時間があらへんからオレが手直ししたろ♡
むきゃーー
やっぱり……
これ借りマス
え
僕とデュオ!?

フルートのカトリーヌ
いいの？本当に!?
うん
わたしも室内楽のメンバー探すの遅れちゃって困ってたし
ヤスのオーボエはすばらしいのに
ヤスが残ってくれていてわたしはとっても幸運(ラッキー)だったと思うわ
カトリーヌちゃん……
じゃ……じゃあ
オーボエとフルートのデュオだね
本当は3人以上(トリオ)でやりたかったけど
6月の試験めざしてがんばりましょうね
こんないい子と一緒なら……
うん…まずは曲を決めないと

えっと……
「フーガの技法は……音楽の」
「聖書（ラ・ビブル）」

いきなり大きくでましたネ…
協和音程……
不協和音程の解決
じしょ
あれしちゃだめ
これしちゃだめ

くんくん…
千秋先輩………

変態 逃避法

えっ
デュオを解散してくれ？
じつはね……五重奏をやっているグループのフルートの子が学校やめちゃったらしくて
わたしそのグループに入れてもらえることになったのよ

わたし
本当は
トリオ以上が
演りたかったから
この話が
とってもいい話
だってことは
あなたにも
わかるわよね？

カトリーヌ
ちゃん……？
ヤスと
組めないのは
とっても
残念だけど
わたしの
幸運を
祝福して
ちょうだいネ
わたしも
あなたの幸運を
祈っているから
じゃあね！
オーボワー
わかるよ

わかるんだけど
約束を破っておいて
ごめんなさいの一言もないのか――!?
Duo For Flute & Oboe
僕はやっぱりついていけない
アローー千秋先輩!?

あ……ごめん
黒木です

ぎゃぼっ……
ごめんなサイ
勘(かん)ちがい

こんにちはー どうした デスかー!? 黒木君
いや…… あの
千秋君…… そろそろ 帰って来て ないかと 思って……

あ〜〜 そうですね
たぶん クリスマス頃には 戻ってくると 思うんですケド
たぶん て……
恵ちゃん

先輩の携帯番号教えましょうか!?
いや
いないならいいんだ
たいした用事じゃないし
ハハ……
本当に用もないのに
なんで千秋君なんだろう
じゃあ
あっ待って黒木君!
今日ヒマですか!?
ふおお~~~

お菓子のサンタさん！
しゅてき～♡
はぅぅ／
また……
のだめ！
早く行こうよ!!
もうどこへ行ってもノエルですネ～
そりゃそうだよ！
あと1週間なんだから
……綺麗だね
いつのまに

僕は最近
周りがまったく
見えてなかった
のか……
今日はね！
教会で
ノエルの劇の
練習をするんだ
おじいちゃんも
来てね
歌も
歌うよ!!
バッハの
おじいちゃん!?
うん
のだめ
オルガンを
聴きたいん
だろ!?
今日は
おじいちゃんが
弾いてくれる
よ
いいのかな？
お邪魔して
ミサなのに
うちは
浄土真宗
なんだけど
……
のだめのうちは
ポックリ寺の
檀家デスヨ
あっ
ポ…
ポックリ
寺!?
ポックリ
いけるように
祈るお寺デス
日本って
……

Les anges dans
nos campagnes
Ont entonné
l'hymne des cieux
Gloria
in excelsis Deo!

Gloria
in excelsis Deo!
只今留守にしておりマス
ご用の方はメッセージを
ピーッ
アロー野田デス♡
ブツッ…

メッセージなんか
残したら
なにをされるか
パソコンに
音声を
とりこむとか…
チアキ

この仕事
終わって
もしも
クリスマスに
ひとりだったら
僕の
ドイツの実家へ
一緒に
行かないか？

△オリバー

え……

な……
なんで!?
今年は実家の
近くの教会で
オーケストラ付きの
大規模なミサが
あるんだけど

僕も合唱で
参加するから
よかったら
聴きに来ない
かなって

友情

オリバーが合唱……
実は歌好き
それは……見てみたい気もするけど
ごめん
オレはパリに帰るよ
チャン
そうかやっぱり……
待ってる人がいるんだな
いいなー
いや
べつに…
日本人はクリスマスに恋人と過ごす
べつに……みんなが皆そういうわけじゃないし……
大体オレ
本当に待たれているのか⁉
携帯の番号も教えてあるのにかかってきたためしがないいし
しーん
挙げ句いつもオレからかけて……

オレは
未だかつて
女からこんな
ヒドイ扱いを
受けたことは
ない―――
あいつ絶対
「恋人」じゃねーだろ!!
バッハを
弾けだ〜!?
BR

はい
やらないんですか？バッハ

是非オルガンで聴いてみたいんデス
恵ちゃん…！
まあ……そりゃたまに弾くこともあるけど
今日はな〜
劇の練習

なんで？
羊さん集合ー
はじめるヨー
そんなにバッハが好きなのか？
いや……というか
今ちょうど勉強してて
バッハにもっと親しもうと思ったんですケド……
ontrepoint
Jean-Jacques Beaudry

対位法……!?
おじょうちゃんが？
ウィ

わたしにも
いつか わかる時が
くるんでしょうか？
先生
恵ちゃん…？
本当に……
わかりたいと
思うのか？
はい
正しい
カレーは
本当に
美味しかった
んです
どうしたら
あんなに美味しい
カレーが
作れるのか
先輩は
知ってる
わたしも
知りたい

恵ちゃん……

カリー？

でも……
だからって
こんな
数学のような
料理の本は
絵も
ないし
…
苦手と
いうか
腹が立つと
いうか……
見てると
せっかくの
カレーもバッハも
遠のいていくん
ですヨ……
Contrepoint

「まんが！
対位法」とか
ないんですかね
真剣
!?
フランス
だし…
恵ちゃん…
そういえば

このあいだも
言ってたな
バッハは
正しすぎる
とかなんとか
僕は
それが
すばらしいと
思うのに
あ──
なんだぁ

バッハも時々
長調短調で
作ってるんだか
教会旋法で
作ってるんだか
なんだか判らない
ところもあるし
フーガの中には
自分で声部の
つながりが
訳わからなくなって
適当になっている
曲もあるし
バッハだって
結構
いい加減な
ところが
あったんだよ
ガハハ
オレは
そんな
バッハが
大好き
だけどなー
まぁ
だから
腹を
立てるな

♪のだめカンタービレ⑫／おわり♪

所載／2004年発行 Kiss No.24
2005年発行 Kiss No.1,4～7

黒木泰則「青緑百句」より

壁の絵は
実在する
パリの画家さん
ムッシュー長田の
絵をモデルと
させていただき
ました！
まだ未完成の
絵だそうですが
ステキです。。

ありがとう
ございました！

取材協力ありがとうございました!!

☆

リアルのだめ（福岡県大川市にてピアノ教室・生徒募集中）

星野大地くん（エレキヴァイオリン弾き）

大澤徹訓先生（作曲家"Let's search for tomorrow"）

大澤美紀さん（ピアニスト）

茂木大輔さん（NHK交響楽団首席オーボエ奏者"オーケストラ楽器別人間学"著者）

☆

パリの方々！ いつも、毎回…お世話になってます!!

Mちゃん
道子さん・フランク
ゆうこさん・ジャン
長田家

パリ取材での1コマ♡
ムッシュー長田（リアル）
レストランでバトル。

●この本を読んだご意見・ご感想をお寄せいただければうれしく思います。

なお、お送りいただいたお手紙・おハガキは、ご記入いただいた個人情報を含めて著者にお渡しすることがありますので、あらかじめご了解のうえ、お送りください。

〈あて先〉
〒112-8001　東京都文京区音羽2丁目12番21号
講談社　KC Kiss
『のだめカンタービレ⑫』係

講談社コミックスKiss　544巻

のだめカンタービレ⑫

2005年5月13日　第1刷発行
2007年1月19日　第15刷発行
（定価はカバーに表示してあります）

著者　二ノ宮知子（にのみやともこ）
発行者　五十嵐隆夫
発行所　株式会社講談社
本文製版　豊国印刷株式会社
印刷所　図書印刷株式会社
製本所　図書印刷株式会社

〒112-8001　東京都文京区音羽2丁目12番21号
編集部　03-5395-3483
販売部　03-5395-3608
業務部　03-5395-3603

N.D.C. 726　188p　18cm
ISBN4-06-340544-3　　Printed in Japan

>>>>>>>二ノ宮知子の講談社漫画文庫
二ノ宮知子
幻の迷作
復活!!
吉田美保(21)
ほほほ。
ザッ
ザッ
人呼んでトレンドの女王
ボゴッ
'90年代バブル期の日本は、
こんなにおバカだったのか!?
ミホ
全5巻
大爆笑
発売中

トレンド用語1
イケイケ
トレンド用語2
お立ち台
おばーちゃん!
ええ
もっちろん♡
すっごく
オシャレでー
ティラミスが
大ブーム
ですってぇ!?
3高
トレンド用語4
やぁ
ミホちゃん
ぐーぜんだね
星形君
星形満(21)
K大の2リンス
ホテルオーナーの息子
トレンド用語3
ティラミス
ボビ男
トレンド用語7
げっ
うまい!
会場では
注目の的だしィ
ギャラは
もらえるしィ
トレンド用語5
おやじギャル
レーサーと
つきあえたり
スポンサーに
コネが
できたり♡
トレンド用語6
レースクィーン
トレンド用語9
コギャル
ミーホーさん♡
おっと
なにが
女子大生だ
殺人
キアークッ
サッカーの技ではない
トレンド用語8
Jリーグ
超ミーハー女子大生・ミホのトレンディー・コメディ!!
トレンドの女王

P9-BII-108
ケータイ版 のだ
GO!!
デス。
http://girlsi.jp
クラシック着メロ・動くFlashアニメなどのだめコンテンツがいっぱい!!
描き下ろし待受あリマス♪
のだめ王国の住人が勢ぞろい♪
彼氏です♡
©TOMOKO NINOMIYA
なんと動きマス!!
©二ノ宮知子/講談社